郭文斌精选集

潮湿年代

郭文斌 著

山东教育出版社

· 济南 ·

图书在版编目（ＣＩＰ）数据

潮湿年代 / 郭文斌著 .－济南：山东教育出版社，2021.10
（郭文斌精选集）
ISBN 978-7-5701-1762-8

Ⅰ.①潮…　Ⅱ.①郭…　Ⅲ.①诗集－中国－当代
Ⅳ.①I227

中国版本图书馆 CIP 数据核字 (2021) 第 127086 号

潮湿年代　郭文斌 著
CHAOSHI NIANDAI

策　　划：张　虎
责任编辑：李　国
责任校对：舒　心
美术编辑：徐国栋
装帧设计：王承利　王耕雨

主管单位：山东出版传媒股份有限公司
出　版　人：刘东杰
出版发行：山东教育出版社
地　　址：济南市市中区二环南路 2066 号 4 区 1 号
邮　编：250003
电　话：(0531)82092660
网　址：www.sjs.com.cn
印　刷：山东临沂新华印刷物流集团有限责任公司
开　本：880 mm×1240 mm　1/32
印　张：4.25
字　数：80 千
版　次：2021 年 10 月第 1 版
印　次：2021 年 10 月第 1 次印刷
印　数：1-2000
定　价：59.00 元
（如印装质量有问题，请与印刷厂联系调换，电话：0539-2925659）

郭文斌

著有畅销书《寻找安详》《农历》等十余部，有精装七卷本《郭文斌精选集》行世。长篇小说《农历》获第八届"茅盾文学奖"提名，在最后一轮投票中名列第七。短篇小说《吉祥如意》先后获"人民文学奖""小说选刊奖""鲁迅文学奖"。作品签约二十多个国家。

央视 540 集纪录片《记住乡愁》文字统筹、撰稿、策划，观众达170 亿人次，被中宣部领导誉为弘扬社会主义核心价值观最接地气的精品力作，由海口电视台录制的 52 集人文节目《郭文斌解读〈弟子规〉》被中国教育电视台等多家媒体播出，被"学习强国"学习平台推送。提出安详生活观、安全阅读观、底线出版观、祝福性文学观；受邀到北京师范大学、北京大学、清华大学、复旦大学等高校及多省市演讲，受到欢迎。

十多年来，奔走于全国各地，推动中华优秀传统文化的创造性转化和创新性发展，同步捐赠逾三百万码洋图书。

现任宁夏作家协会主席、中国作家协会全委会委员；全国宣传文化系统"四个一批"人才，享受国务院政府特殊津贴；被宁夏回族自治区党委、政府授予"塞上英才"称号，被评为"60 年感动宁夏人物"。

一个人最为私密的家产

突然发现诗的含义就在诗本身："言"加"寺"为"诗"。为什么？就是因为这个"言"是远离尘俗的，远离功利的，或者说是反尘俗的，反功利的。

《三字经》《弟子规》《太上感应篇》《朱子家训》，既是绝佳的诗，也是一个民族最为宝贵的家底。正是因了这些家底，才成就了一个民族的从容、安详、中和。

"言"加"寺"为"诗"，这是一个民族的大秘密。

一天无事，到花园去散步，看到园丁在移栽花。初一看，一个美，一个丑。美的是花，丑的是根。但是细一想，假如没有根，那花就无从美起。再看时，整个就倒过来了，突然觉得那花丑陋起来。但是马上又发现，丑陋的是自己的这个念头。因为它已经带了偏见了，分别了。事实上它们都是美的。根的美在于它的自愿向下，花的美在于它的自愿向上。一个向下，一个向上，看起来是背道而驰的，其实有一个我们看不见的方向，它们是一致的。由此发现，在这个通常世界的后面是还有一个东西的，那就是秘密。

那个秘密，本身就是大美。

妻子是别人的漂亮，儿女是自己的可爱。有一天，我发现这句平常的话里藏着不平常的道理。儿女的可爱是因为我们对儿女的爱是无条件的，有血缘的。而我们当初选择丈夫和妻子却是有条件的。儿女是无法选择的，他是一个赏赐，一个祝福。而妻子和丈夫本身就是选择的结果。由此想来，美来自赏赐，来自祝福。它是没有缘由的，也是说不清道不明的。它也是一个秘密。

每次打开水龙头，看到水；打开窗子，看到阳光，我都会激动不已。突然一天，领会了一个词："天工"。造化创造了这么美妙的东西供我们使用，到底是为什么？还有文字，他把文字交给人类，又是为什么？还是秘密。

多年来，我有一种用诗歌写日记的习惯，有相当的部分肯定是不能公之于众的，拿出来发表的只是冰山一角，浮出水面的一角。即使拿出来发表的这些，也是我最为私密的财产。现在，它们就要公之于众了，真是让人惴惴不安。

而这个"众"，是怎样的一种缘分呢？

又是一个秘密。

记不得在哪儿读到一篇关于掘藏师的故事，才知道好文章是被赋予的，不是写成的。所谓文章本天成，妙手偶得之。而在什么时候写成，在什么时候被挖出来，都是一个秘密。有那么一些智者生前写了许多著作，却不行世，而是把它埋在深山，若干年后，机缘成熟时，由一个特定的掘藏师在特定的时空把它找到，然后贡献给有缘人。想想看，世界何其大，而掘藏师却要在那个特定的时空点把它找到，那几乎是不可想象的事情。但他却找到了，而且恰恰在世人需要它时。掘藏师的使命就是等待那个时空点，或者说他就是那个时空点。世人需要哪部，他就正好找到哪部。从这个意义上说，编辑也好，作家也好，都是掘藏师。只不过是被造化赋予了特定的心灵掘藏权。但是，到底谁能够得到这个权力却又是一个秘密。

由此想到有位朋友说，写作就是找到属于自己的密码。这话说得棒，但不全对。因为那个密码是被赋予的，而不是找到的；是配不配的问题，而不是能不能的问题。国家核武器的遥控器是只能掌握在一个人手里的，不是所有人想拿着就拿着的，一般公民甚至连看一眼都不可能。我们只能拿着自己家门上的那把钥匙，甚至有时连拿着自己家门上钥匙的权力都没有。我们没长大时，父母是不放心把钥匙交给我们的。差不多所有人都有过为拥有一把钥匙而苦恼的经历。因为女同学给自己写了一封情书，送了一张照片，没地方放，但是父亲就是不给自己一把锁，当然就没有钥匙。因此，人的成长过程其实是拥有钥匙的过程。

圣人之所以为圣人，是因为他掌握了比别人多得多的钥匙，或者说密码。我们之所以不能成为圣人，是因为我们离享有那个密码的距离还太远。

从另一个角度来说，古智者把自己的著作埋在深山，那是一种怎样的自信？又是一种怎样的随缘行。假如后人找不到呢？那不就白写了吗？把倾其一生心血写出来的著作埋在深山，那是一种怎样的超脱和淡定！

既然是掘藏师，面对自己的勘挖对象，除了小心翼翼，恐怕更多的需要敬意、谦卑、神圣感。造化赋予人类以文字，本身就是赋予人类以神圣感。不然，仓颉造字时，为什么会天地皆惊呢？因此，我是从来不拿字纸垫屁股坐的，我认为文字是有神性的。

发现这个秘密之后，我不再以一个作家自居。心里更多的是感恩、谦卑和忏悔。回想自己从前发表的那些文字，真是诚惶诚恐。突然之间，从前像火焰一样燃烧在心里的发表欲没有了。倒是越来越喜欢《诗经》中的一句话：战战兢兢，如临深渊，如履薄冰。

做人是这样，写作也同样。

那么，这些诗呢？

目录

2

第一辑　比思念轻

一片雪地

看着
千万不要去碰它

1
想回家。
并且知道家之所在。
车票都检过了，起程时却找不见心。于牵扯的方向，才发现——
心被衣裳系着。

2
世界这么大，我却知道你的名字。
并且牵挂。并且等待发生一些事情。

3
我是一把锁。

却丢失了钥匙。

不知最终是否能够找到。

抑或最终要被榔头撬开？或者，风雨中锈损于千年之后，而为风尘。

4

活着是因为爱。爱是因为可爱。

寂寞是爱的一只眼睛。

孤独是爱的另一只眼睛。

而夜，是爱的路。

5

将目光风筝一样拽回来。

沿着血管，走向心。就发现心中有一个发货通知。地址已看不清了。明白无误的是，自己是被寄出来的，而且，还在路上。我的主人，你在哪里，请你告诉我——

我让谁来领？邮资又让谁来付？

6

为你留着门。不怕强盗进来。

而强盗来过好几次了。

强盗拿走了我的衣服。你却偷走了我的梦和泪水。

尽管你一直在我的夜之外。

7

最深的痛苦，是从你生命中舀走幸福的那个人，用的是
最浅的勺子。

最好的风景，在最近的地方。有个地方很近，却没有路。

其实没有路是最宽敞的路。而人们的眼睛，却被风景挡着。

路，就属于盲人。

8

我不知道我是什么东西。但我渴望变成金子。

我的主人说，金子就是你的心，请将俗物清除出去。

而我，又是那么犹豫。

9

突然发现心里堆满了状子。被告和原告。

都是自己。什么时候开庭呢？

让谁赢，又让谁输呢？

10

审问心灵，先得将法庭拆除。

11

明知走错了路，却回不了头。并非因为惯性，而是路上的风景，及其人们不断地喝彩。人们为我使劲地拍着粉红色的手。掌声将我的心率不断提高，成为高血压。

尤其是风景中怒放的花。

我沾沾自喜。忘了自己越走越远。

12

既然这条路已经走错，怎么不挡住我？

13

名字是什么呢？

14

夜深人静的时候，一个人走路、做事，就没有人知道吗？有一双眼睛，空气一样注视着你。

在这双眼睛的注视下，世界正在悄悄地悄悄地往回走。而为婴儿。

15

等到你的花朵堆满房子，你已开不开门。

16

既然一切错误都出于记忆，我们为什么不将它删除呢？

17

是谁给我穿上衣服，我的一日三餐为谁而进，我的脚步为谁而行，我的眼睛是谁的窗子？

18

花木注定要在春天发芽。再生是因为埋藏。林冲是被逼上梁山的，因而才有林冲。我渴望不朽，却害怕火烧草料场。

19

我的主人已经不高兴了，因为我的踌躇。踌躇并非因为心被衣裳系着，是怕世上的人儿，受不了这惊吓。

20

也许最温柔的是夜了。你拥被……而卧。但是你太大胆了。你是不该睡觉的。你又怎么能够保证明天早上一定醒着呢？假如明早不再醒来呢？岂不可惜了巨额存折、倾城之貌、炙手大印以及曾经的汗水和泪水……只要你承认睡着了，不就什么都不知道了，那么，你同样不知道是否能醒来。

但是我依然认为最讨厌的事情是午休时有人敲门。可见，我在说胡话。你们就当没听见。

好好睡觉。

21

真正的灾难是什么呢?

是人们新设计出的一个又一个天堂。

如果不信,你就等着看。

22

请你不要用那种目光看犯人。

我们都在农场。

劳改。

看守就是自己。

23

当你而且只有当你的眼睛闭上的时候,你才能看见自己。

那么我的主人为什么要造下眼睛?

24

那时,花朵任意开合,季节被废除了,连同知识。

可是为什么还有那么多的人在学习,在攻读?

25

你说，语言和文字，是一片尘雾。

那么我呢？当我写完这一行文字后，就扔掉笔吗？

26

人的一生其实长不过一根草。

27

要说"死亡"这个词最初就被弄错了。它的意思相当于现在的毕业典礼。

人的一生都是给自己奋斗一个文凭。

一个。为文凭而生生不已。

可是，梯子恰恰是文凭扯掉的。

28

如果有一天你蓦地发现了站着睡觉的树。

如果有一天小溪从你的爱情中穿过。

退学就发生了。

这时，你已上了回家的路。

没有关卡，无需养路费。

甚至连走也不用。

29

我什么也没看见。

也没说。

一只手拍手的声音

1

灯下

小孩看见墙上有一只凤凰

小孩去捉时

凤凰已经飞了

小孩就哭

奶奶说你走开凤凰就会活的

小孩走开

凤凰果真活了

小孩问那我怎么办

奶奶说

看着，不要去捉它

2

早晨

站在阳台上晒太阳

挡住了身后的花
花说，请你让一下
我说，我为什么要让
花说，难道要我让不成

3
这个秋天
相思已经熟透
卸果人却迟迟不肯到来
一场大雪
果子落了
月亮看见
雪上有一对唇印

4
如果你睁开眼睛
就能看见人们无不拖着
包括自己
倘若有人能够在今天起程
他一定知道了

5

有一个杏子

择高枝而栖

小孩够不着

就连枝折下来

6

月亮

你是谁

丢失的一颗

当胸的

纽扣

7

蝴蝶是在无意中看到玫瑰的

蝴蝶忘了飞

蝴蝶就被小孩捉住

蝴蝶想

玫瑰一定不知道

8

至今
我还没有得到我
我仍是件没有开封的礼物
我不知它是出于对谁的感激
我将它看作一个奥秘

9

月光来时
窗子开着
窗子很满足

10

你并没有动手
是我早就准备了伤口

11

人们因为衣服
被树嘲笑

12

抽刀断水

水未断
是因为水
总是留着门

13
这个世界
只有一种声音
那就是种子

14
当你
而且只有当你
把眼睛变成一朵玫瑰
你才会知道
什么是芬芳

15
晚上
窗子在等月光
可是风进来了

16

让我成为一个渡口
等待一只无人之船

17

月亮之所以还活着
是因为
她还没有教会人们
如何守约

18

带领你到达的
不是速度
是指针

19

灾难是动员
生命是滑翔

20

枝将果子养大
却不自己动手

21

花朵开放

是因为花朵被信任

22

借助停止我们到达

借助投降我们回家

23

因为在水中

鱼不知道它自己就是海洋

24

一旦你醒来

叫醒你的那个人已经不在

25

你冷

是因为

你盖着被子

在天山

一

在天山，我听到一棵树对我说

啊，你终于来了

在天池，我听到一捧水对我说

啊，你终于来了

在灯杆山，我听到一盏灯对我说

啊，你终于来了

对于它们的盛情

除过深深鞠躬

我没有别的文字能够表达

二

在天山，我看到，一群得道成仙的树

和一群得道成仙的牛

它们没有区别

在天山，我看到，一条得道成仙的小溪

和一座得道成仙的山
它们没有区别
是天山，让我知道了
什么是天，什么是山

三

在天池，我看到了一顶帐篷，和帐篷旁边的炉灶
一位妇女，在烧馕
两个锅扣在一起，四周缠绕着火
我看到，馕的味道上，沾满了阳光
飞天一般飘在空中
歇脚的邵振国先生说
真想在这里坐两小时
我嘴上应着，却在心里说
应该是两世

四

有一种水，叫碧，有一种碧，叫天池
鹰在长空飞翔，牛在天山吃草，人在感动
小贩手里的雪莲花，已经蔫了
但他的目光是嫩的
映姝说，天山的小伙，从来不知道骗人的

他们，一是一，二是二

五

在看风景的路上

我饿了，我把眼睛停下来，吃馕

在上山的路上

我累了，我把脚停下来，听风

在听风的时候

我明白了，什么是故乡

六

女孩把奶茶倒在我的杯子里

我把奶茶倒进肚里

杯子空了

我招招手，女孩走了过来

我不知道是我的手，还是杯子

召唤了女孩

七

一杯奶茶，把一头牛

带进了我的胃里

我不知那是一头花牛，还是一头黄牛

总之，是它，用它的乳头

写下了世界上最动人的诗

这时，我的胃其实不是胃，而是一个想念

想念一头牛的时候

我的胃，无端地有些疼痛

这时，我才明白，世界上最好的营养

是惭愧

八

如果说博格达是水的睡姿

那么，天池就是水的坐姿

这一刻，我在感谢一艘船

船说，不要感谢我，感谢水吧

水说，不要感谢我，感谢大地吧

大地说，不要感谢我，感谢天吧

天说，不要感谢我，感谢船吧

九

在天池，我看到一弯月亮

在听诗，陪伴她的

有一棵老榆树，一池碧水，一座毡房，一轮彩舟

还有挂在老榆树上的红灯笼

天有些凉，许多人都没有带外套
好在有诗，可以取暖

十

有一位长者，名叫博格达
他戴着一顶永不破败的帽子
洁白，安详
有一位淑女，名叫天池
她穿着一条永不褪色的裙子
碧绿，安详
有一位游子，名叫郭文斌
他怀揣一兜小米一样的思念
金黄，安详

十一

曾经，我在看风景
看风景的时候我看不到自己
但我看到了"看"
曾经，我在听风
听风的时候我听不到自己
但我听到了"听"
此刻，我在写有关风景的诗

写诗的时候
我看到了
挂在手指的瀑布

在北京看雪

在北京
我看到雪用它的温柔
把树压折
把灯光压垮
把一个人的心压成故乡
无言的故乡
在雪中成长

渐渐地
我觉得眼前飘飞的
其实
不是雪
而是一群回家的游子
脚步匆忙得有些栽跟打斗
如同相思

伫立雪中

我才明白

雪的姿态其实就是相思的姿态

雪的道路其实就是怀念的道路

面对这群扑向大地的飞蛾

我的心是一床翼羽的被子

以她准备了整整一年的盛宴

洁白的盛宴

等待自己

走失多年的孩子

以一种站着的姿势

躺在这面

温暖而又寒冷的被子里

我终于看清纷乱的心思

也懂了雪为什么要

以一种舞蹈的方式

走近拥抱

开在北京的窗子

我的面前是一个院子
北京的四合院
院子里有一棵柿子树

灯笼一样的柿子
像是凭空挂着
让人忽略了枝的存在

红红的柿子
美得忧伤
却安详

柿子树下
有一位姑娘在看书
同样安详

院子的旁边
也是一棵树
那是一个
名叫紫的饭店

阳台上

当我端了一杯茶
站在阳台上时
对面的楼
已经空了

小区很静
草坪绿着
辣椒红着
阳光在睡觉

能够这样看着它们
我是多么满足

夏天的原野

要知道什么是沙场秋点兵

请走进夏天的田野吧

这时，你就会听到一望无际的掌声

透过掌声，你会感到

夏天的田野如一个刚刚分娩过的产妇

慵懒而又闲散

腼腆而又喜悦

山里人的夏天从镰刀开始

镰刀的光芒将这个季节照亮

稍加留心

你就会从镰刀上看到农历深处的微笑

看到中秋的社火

腊月的大红喜字

以及父亲炕头的一壶热酒

妹妹手中的一片花布

连同被热酒和花布装饰的日子

就有扑鼻的米香，喧天的锣鼓惊天动地而来

镰刀啊镰刀

是你将父亲酿造了整整一年的夏天

深情地打开

太阳也许暴了点

麦芒也许扎了点

麦土也许痒了点

但是乡亲们并不在乎

如同牧马人于那些刚刚出笼的烈马

如同新郎官于那些性情刚烈的新娘

他们倒愿意被扎一扎呢

在乡亲们眼里

它们都是一根根银针

能挠日子的痒痒呢

经历了一百多个日日夜夜

麦穗被麦秸带回家

留下麦茬

麦茬的心情是夏天的心情

沿着这种心情

你就会听到一片从远古传来的连枷声
连枷声中，一种原始意义上的迎亲队伍
川流不息

夏天，在一个个打麦场里稍息
关于农历的所有想象
于此展开
麦场的平坦就是乡亲们心里的平坦

心 事

一种白色的血液
选择了北方
注定寒冷
心事白着
而且湿润
注定与北方有关
注定被春天埋葬

或者分手
都是因为阳光
到达是因为离开
离开是因为到达
雪
原来是一种
接近爱情的
姿态

无 援

我的手里是一首诗

父亲的手里是一秆庄稼

天不下雨

诗和庄稼

谁安慰谁

家 书

下雨了

一个个久旱的孩子

在雨中翻飞如燕

故乡，是谁让你

热泪盈眶

雨啊，此刻

我什么都不做

只想坐在窗前

听你赶路

大荒之年

打工的妹妹

成了老家唯一的庄稼

而我心里的露珠

早已结成火苗

今天

一个游子

什么都不做

只用雨声

书写家书

关门雨

到底是在门外
还是门内
对于农民
这些都不重要
农民只知道
有一个叫老天爷的主儿
答应了他们一桩心事
土地之门被雨关上
隔窗而望
正是九月
订亲的消息
在老家流淌

荞

是你将江东的大红

江南的大绿

兑出紫色的忧伤

对月谈情

迎霜说爱

打着黑灯笼赶路

迎着白镰刃回家

荞啊

你这粮食中的情种

就连死

也是情意绵绵

用一腔热血

为人们

生血

败火

平静心气

荞啊

你的身子

本是菩萨的身子

四月下种

五月绽蕾

七月开花

八月招蜂

九月引蝶

十月赴会

试问你

那袭红装

到底

为谁而穿

正月十五

你一身戏装

带着十二生肖

于溶溶月色中

温情脉脉地提醒人们

不要玩过了头

你说

蜂的相思是蜜

人的相思是庄稼

在乡下

只有你能够教村姑

认识爱情

而娘

干脆将你的衣裳

装在枕头里

让儿子

做梦

被花灯装饰的夜晚

这是一个再热闹不过的夜晚
人们倾巢而出
蠕动于火树银花和喧天炮声之中
其势泱泱
奉命带着两个儿子
一个是自己的
一个是别人的
去看花灯
谁想总是开小差
希望能够在人群中
看到一个地上的月亮
尽管这是没有可能的
视线中更多的是一些旧了的风情
以及虽然陌生却依然熟悉的面孔
有几个小青年
总是偷偷地在姑娘的身后放炮

姑娘很开心

身边的旱船一列列划过

让人联想到西海固

狮子已是疲惫不堪

还要被不时奔驰而过的机动车挤兑

据说他们都是从乡下来给城里人拜年的

仪程官手里的鹰翅

已经和鹰无关

戏楼上仍然是当年的王宝钏

戏楼下是一只手搂着两个小孩的薛平贵

唯有那些被小花灯装饰的小孩

在真正装饰他们的母亲

突然间我想起老家的油灯

还有油灯下的娘

广播上说有几个小孩丢了

请问

其中可否有郭文斌

镰 刀

认识夏天，我们必须认识镰刀

认识镰刀，我们必须借助

烈日、磨刀石和磨镰水

以及它以身相许，贴着大地飞翔的身姿

还有它远离果实，从最低处走过的勇气

镰刀啊镰刀

莫非这就是你对爱情的表白

于无声处寂然守望

冷眼百花开合

哪怕千帆过尽

唯等麦熟的消息悄然到来

镰刀啊镰刀

你所追求的该是怎样的一种赴约

早也是过，迟也是过

不料这人间的妙处

最是你老兄参得透彻

没有你，麦子纵有冲天大志

也将功亏一篑

镰刀啊镰刀

不料你寒光凛凛

却是一副菩萨心肠

麦子的当初就是你的当初

麦子的涅槃

就是你的涅槃

月 亮

月华初照时
谁家的床背负着夜的孩子
潜入水下
谁的眼睛被对面的窗户灼伤
谁的枕头被相思压扁
谁在梦里盖着梦的房子
又是谁被梦里的炊烟驮着
飞向故乡
看昔日的恋人远嫁他乡
看逝去的爹娘深埋地下
故乡的田野上
已没有游子的庄稼

久埋心中的鸟声被阳光唤醒

所有的日子

在梦中丰富

又惆怅

活着

无非是为了让梦赶路

让梦赶路

不过是为了活着

这一切

其实

都是一个人的诡计

病了

吃中药

祖传秘方

很苦

给我惹下是非的

除过嘴

更多的是眼睛

鸟用歌声将天空拉长

人用赞美将幸福延长

你看不见太阳，是因为你正看着太阳

爱着，就必然寒冷和疼痛

能够让寒冷开花，说明女孩已经长大

活着仅仅是为了活着

第二辑　齐肩软枕

一棵名叫郭文斌的树（组诗 17 首）

拯 救

劳动的人找不见自己的手

行走的人找不见自己的脚

读书的人找不见自己的眼睛

手被手占着

脚被脚占着

眼睛被眼睛占着

你用什么把你的手

你的脚

你的眼睛

拯救

无名氏

哪个鸡下了这么小的

一个蛋

鸡蛋上有个小城

小城里有个小学
小学里有个小孩
是我的儿子

炉 子

我是我的炉子
又是我炉子中的煤
炉中的煤看见
火里睡着一朵莲
其中藏着我的孩子
如同我的娘

苹 果

一个苹果坏了
苹果本来是好的
却因为我的耽误
坏了
面对一个坏了的苹果
我不知该如何写它的悼词

秋 天

那一刻所有的银子都开了花

年轻人浑身都是手

年轻人跟着开了花

年轻人带着银子

回家

年轻人万万没有想到

他迷路了

种 子

谁把一粒种子种进前世

谁把一把镰刀带到后世

谁把路扛在肩上

步履匆匆

谁又没心没肺地坐在别人的路口

抬头看天

然后鼾声

从天堂深处落下来

雨水一样

把剩下的日子打湿

冬 天

谁在停止奔跑中学会了奔跑

谁在射击中饮弹身亡

谁在白天点灯
谁在黑夜沐浴阳光
谁用米粥养育着一个美梦

日　子
在梦中播种
于醒后收割
这是三十岁发现的秘密
犁闲置在家
镰刀已经生锈

星期一
我们上市
交易

大事记
一九九八年末
一个肾阳虚的人
从药瓶中穿过
像一个旧挂历

陌生人

陌生人就站在门外

窥视着你

你将门关上

而你的手在不经意间

留在门上

让陌生人有机可乘

你也许不会相信

陌生人在你准备从窗户逃走时

从门里进来

一朵花的开放

花是突然之间盛开的

比突然还突然

让人防不胜防

没有人曾经能够

也没有人将会能够

把花消灭

常 识

拥抱你

无非是因为

父亲给我

两只胳膊

语 文

你冷

是因为

你盖着被子

算 术

几只鸟在阳光里游泳

几只手在岁月中穿梭

寻找脚印的人

迷失在脚印中

自 然

给你写信

并非因为我爱你

而是因为

前面正好是邮局

烟 花

以一千只眼睛

告诉人们

回头一望

是多么美丽

秘方

甩掉冰的方式

是将冰抓在手里

物 理

月亮是在中秋的那天感到孤独的

月亮月亮

走遍梦中的长廊

你在寻找谁

之所以在外流浪

难道是因为你有个家吗

我被我的眼睛带坏（组诗 18 首）

消 息
三月
是谁
将一束杏花
插在老家的鬓间

公 判
母亲看见哥哥欺负弟弟
就让哥哥长出了胡须

悼 词

一只苍蝇
因为打扰了诗人的
瞌睡
被诗人
钉在墙上

迟 疑

一个好心人

正给庄稼锄草

蓦然想起

一个穿裙子的女人

日 子

一个女孩

在河边看雪

一个男孩

在岸上看女孩

女孩的眼睛将雪染红

男孩的眼睛将女孩染黑

哲 学

青草被兔子追赶

兔子被猎人追赶

猎人被故乡追赶

故乡被青草追赶

位 置

谁在风口点灯

风口里没有女人
风口里只有一双
被流言篡改的
眼睛

算　术
从前喜欢根据时间
推断到了什么地方
现在喜欢根据到了什么地方
推断到了什么时间

秘　密
除过屏障
还有房子
除过房子
还有黑

行　程
令箭一夜盛开
像是不防
放出的一窝兔子
又像是存心

拥谁入怀

追 悼
田头

等待男人的

除了一块白丝手巾

一床红花被子

一个齐肩软枕

还有

一碗姜汤

工 作
一匹狼

从唐朝走来

把种子留下

打马而去

天 意
一盏灯

熄灭在山头上

一株含羞草

守候在黑夜里

一驾马车
找不见它回家的路

问　题
从什么时候起
人们用手看人，作画
美术
被活活气死

消　息
妻子和丈夫吵架
原因是妻子正在丈夫午休时
洗衣服
劝架人问妻子为什么
偏要在丈夫午休时洗衣服
妻子说等丈夫睡起来
水就凉了

公　理
雁走过
将天空留下
云走过

将雨留下
人走过
将人留下

广 告
说话的人
为说话的人抬着棺材
走路的人
为走路的人提着鞋子
追赶花朵的人
被花朵追赶

表 达
回忆是糖
是我们活着的
全部理由
感激之花
将剩下的时间
开完

镶嵌着杏子的梦境（组诗 12 首）

怀念猫
有人说今晚可能要来土匪
村子里所有的人都藏起来
土匪的消息汪洋一片
就连娘都没有了主意
守望的人一个个出去就再没有回来

父亲说都怪现在的人手无寸铁
乡佬买了一大筐水果糖
还有酒
然后去请灶神

我在抓紧时间收拾行李
可是不久我就睡着了
接着我就成了钦命大将军
抓紧吃肉喝酒

小小土匪算得了什么

可笑，这才是凌晨

就叫我起来

岂有此理

穿衣服时才发现衣服已经不在

还有我的瑞士牌手表

我什么都可以丢

唯独手表不能

那是一个女孩子送给我的

剩下的时间都用来寻找

女孩子就决了堤

据说我就是在这时死的

没有救生衣

没有挽歌

只有悄悄睁着的眼睛

确凿无疑的是

有一位打着口红的老鼠

正在吹口哨

镶嵌着杏子的梦境

一片绿原

落满红色的星星

父亲说

那是老家走失的杏子

星星说父亲在撒谎

父亲说你到杏园看看就知道了

去杏园，我果然看见

一则招领启事

我在哪里

院墙矮矮

风声悠悠

日子长长

棺材往来穿梭

成熟的桃子擦肩而过

如烟的女孩随风而去

陌生人在伸手摘星星

我在写诗

没有抬棺人

咒语匆匆

父亲落在雪中

母亲落在粮食中

我在哪里

广 告

那是腊月二十八的早上

办完事已是中午

四处的香火庄稼一样长起来

我喜欢的蓝颜色被别人穿在身上

我还以自己充当着新郎

而沾沾自喜

突然意识到

这是冬天里的春天

在这个春天

我再次将自己弄丢

像个进官的太监

今天是父亲生日

我将赶回去给他老人家磕头

明天就是年了

可是我该怎么回家呢

64

小 院

米黄色的黄昏里

有一个小院

小院无人

只有两棵无名之树

背靠夕阳

睡着或醒着

比神话轻

比童话重

比风淡

比雪深

东边的小屋

因为无言

已经不是屋子

西边的古道

因为无人

已经不是古道

亮闪闪的黄土小院

宛若一段米黄绸子

既然无人

是谁将它打扫

如此

纤尘不染

恍惚间什么逃走如飞

顷刻间谁的心

如一片片叶子落下

难道仅仅是因为

这个小院

似曾相识

凌空飞来一棵杏树

黄墙绿院

凌空飞来一棵杏树

在娘的叙述中

开花

杏树悠悠

填补着苍苍日子

身着虚土

无力前行

粥在远方

一路花红酒绿

设若蹚过

需要怎样的脚力

回门的女子

一身红装姗姗而行

能否抵挡

速朽的记忆

钥 匙

找钥匙的异乡人还在等待

抽烟的女孩涉河而过

壁画在深处窃笑

手持面条的人沾沾自喜

男人和女人的赌博还在继续

冠冕堂皇

柜台前看不见父老乡亲

盈耳都是假冒的乡音

谁在打架

谁在离婚

想你的人就在咫尺

你想的人在梦里

谁在点灯

马车行过大街

洪水蛀空院堡

黄土四处飘零

丈夫被掠

妻子的枝头无梦可栖

月光闲着

风在夜游

谁在点灯

觅心十年祭
记不清哪一个是我的房子
忘了自己曾有一辆车子
还有我唯一的恋人
隐约在人群里
面目依稀
妻子在洗衣服
我用黑线
缝着
那个黄书包

身后的同事一脸的秘密
有一座教室
已被梦
风化

金牌令箭
肯定是子夜
我去看医生
医生说我

像个历史课本

头发倒是一个好拂尘

只是太监不在

舌苔上刚刚发生过一场火灾

消防车被一个女孩

弄坏在通往天堂的路上

生得一对朱唇

可是没有办好执照

眼睛里满是马蹄声

夜夜无眠

有一个小母鸽

被吊销了路牌

通过小母鸽

我终于看见了回家的路

路上

总统府正在发生核爆炸

有人指望以此复辟

我说门外有很不错的素菜包子

还有一声婴儿的啼哭

我很高兴

可是无法停下来

医生说你还是做医生吧
不然你会死的
我觉得这话有道理
于是，我看见
我的指甲在一天天长长
有历史那么长

羊皮筏子
记不得从何而来
因何所住
眼看着天色一片片黑下来
却总是找不见回家的路

秋天的葡萄熟透了
看园人在暗处
悄悄注视着
有一条狗正在睡觉
我坐在树下
等待一串
或者一颗葡萄落下来

依然没有带路人

打着盹过河入林

有一个庄子

听不懂我的话

暮色苍茫

我逗留着

是因为那些人

仍然听不懂我的话

我说有户人家

在城背后

我保留了后面要说的话

他们突然说那条河干了

我忘记了他们根本听不懂我的话

我想如果我能飞就好了

事实上我正致力于做羊皮筏子

我肯定忘了

羊皮筏子于无水之河

是一点用处也没有的

葡萄说

事实上

并不是你找不见回家的路

是你压根

就不想回家

身前身后

亡魂如雪飘落

戊寅晚秋

父母仙去

无根的日子无人守护

咒语作衣

匆匆重逢

今天

是谁奉三牲奠礼

五方香烛

陈酒红花

于皇天之下

后土之上

拜谒太岁

风流泪（组诗 9 首）

一
风流泪
是因为　雨
已死去

二
白天裸着
是因为
夜　抢走了人们
所有的衣裳

三
花被别人夺走
如果那花不是假的
就是　你不爱花

四

喜欢葡萄酒

是因为　一种表情

五

羡慕鸟

是因为　鸟

总没有脚印

喜欢石头

是因为　石头

不怕寒冷

六

车站很渴

不是因为班车晚点

而是　站台上

总有一朵冬天的花

在等待雨

七

屋外有美酒

屋内有好茶

心中有血

眼中有泪

但是　谁也拯救不了我

因为　它们

都是液体

而我

早已漏底

八

爱情

是上帝遗失的一个花坛

被魔鬼捡到

降价处理

九

拒

好大的一只手

第三辑　爱情报告

爱情报告

这个季节

爱情已经像杏子一样黄透

胆小的小伙子却

翻不过东家的墙

可怜的杏子

最终经不住成熟的重量

随风落地

而小伙子仍在

做着一个竹竿的梦

你有一条上好的牛皮裤带

一片森林

又一片森林

一只鸟

在寻找妈妈

或者自己

在一个山头停下来

观望另一个山头

鸟儿看见了一片血迹

染红了它的羽毛

有一只发卡

和一张菜票

都无言

雪花说

她太累了

一到家

就睡觉

无补习班可上

复习是自己的事情

雪花说

这很好

自己欺骗自己

是一种真

你是冬天撤走的

忘了留下心的钥匙

只有一张照片

雪花说它可以做被子

雪花说

你是一个好女孩

你有一条上好的牛皮裤带

葡萄干下酒挺好的

之所以选择晚上
是因为你的心已习惯走夜路
当年的小径
打不开曾经的记忆
相思的路上一片泥泞
多少人被闪了腰
多少人正在向回走
请教高人这路怎么是斜的
高人说
不是路斜
是你丢失了鞋子
而且是一只

丢失了那只鞋子
就丢失了所有的日子
发现一只脚长

一只脚短

是在那个冬天

妈妈说不是她的错

爸爸也说不是他的错

雪以一种逃跑的姿势

慌慌张张地从天上赶来

雪说天上太冷了

有一种桃果

看上去像杏子

可是要比杏子妩媚许多

而且丰满

老板说它的名字叫小蜜

味道绝了

而且是甜核

能治百病

包括脚气

有人在专门贩卖旧衣服

也有人在买

那些顾客

一定是觉得旧的和新的差不多

心不再寒冷
衣服成了程式
新鲜的葡萄更是很难找得见
就无所谓酸与甜
其实也没关系
葡萄干下酒挺好的

能否绕着感情走路
区别了圣者和凡者
鞋子说
爱情是一座桥
经历它
但是不要将房子盖在它上面
因此鞋子成了智者
总是沾满泥土

潮湿年代

梅雨如期而至

爱情手里的那把小花伞

却无法打得开

伞说

有个密码

因过时

而作废

爷爷说

芍药一旦穿上裙子

就起风

好大的风

根小的孩子

往往会被拔起来

孩子们不知道

常常将它叫妹妹

不用手

拿走一个人的心

当然是高手

明明看着让心越狱的那个人

算不算奸细

有一种走法

不是父亲教的

母亲当然也不会

为了走路而走路

一个向前

一个向后

就走出一个新世道

路说

它冤枉

从什么时候起

音乐成为一种借口

让一种阴谋

有机可乘

没有一个园丁能够看住一朵花

摘花人说

放文明点

园丁不但糊涂

而且害怕

不怪雪

抢救过来之后

才知道

爱情的路有多滑

不怪雪

还有风

以及鞋子

等待灾难是很久以前的事了

灾难很温暖

没有什么比时间更寒冷

还有一个叫水的名字

弄丢了我的心

都怪爱情无法讨伐

没有这个道理

所有的故事

都是一片秋天的叶子

谁说落叶不是处方
谁说爱情不是病
对于一个爱情牛仔来说
歌唱
是唯一的行李

正在做梦的玫瑰

大雪纷纷而下
道路已经变节
黄土失去立场
曾经的苹果深埋地下
裂谷遍地
群山倾覆
谁敢抢救一朵正在做梦的玫瑰

集体宿舍里
一位陌生的女孩为我收拾着床铺
好像是深夜
枝头的牡丹尚未绽放
仅仅是一缕月光
我就被打开
那串鞭炮还用得着吗

浪涛声里
谁被尴尬
月光是月光的妈妈
我是我的儿子

无人赦免

一冬无雪
春天看起来提前来临
可是总让人觉得假惺惺的
事实上要说的都与此无关

这个年底什么都不想做
似乎是在逃避
而逃避是多么艰难
敲门声
还有一片片落下的灯花
不防就会放走那一个你
是谁失职

窥视者被窥视
图谋者被图谋
迁徙不知不觉

原地不动

心疼，是因为时间的碎银已经花光

半截铅笔怎么能够跑过相思

无处可藏

我到底做了什么

你要判我无期

淡如开水就淡如开水

悬着

如此而已

爱情流水账

谁把思念存成定期
谁把往事零存整取
无雪之冬
曾经的爱情成为呆账

多少次试图盘活你的名字
无奈生命已成赤字
谁说痴心可以典当
谁说青春就是银根

我的小水鸟
要飞你就飞吧
在这个通存通兑的世界
我不怪你

谁能为我守住千年月光

给我一个好姑娘

让我懂得忧伤

可是姐姐

已经在歌声中出嫁了

可心的妹妹

还未出生

这个世界

还有谁

能为我守住

千年月光

第四辑 非梦经历

中文系的小郭

起床就穿上一身形容词

然后洗掉病句

用馒头蘸了诗作早餐

突然迅速地奔向教室

老师说懒惰再未若郭了

小郭复习了一句阿Q说过的话坐下

用现代化的耳朵听古代汉语

不一会儿　静静的顿河就从桌框里流出来

小郭在河中游得很浪漫

小郭打饭的时候也排队

排队的时候说

路漫漫其修远兮

有时候也不排

不排的时候说

吾将上下而求索

小郭打了一份黄瓜说

人比黄瓜瘦

小郭扫视了一眼餐厅说

稻花香里说丰年

小郭指了指漂亮女孩说

秀色可餐

小郭喜欢在黄昏中独步

独步的时候踏着诗的节奏

踏着诗的节奏想起那个小女孩

小女孩的笑声绿了一串脚印

一串脚印载不动那羞涩的一吻

羞涩的一吻惊落那条红纱巾

红纱巾飘飞成校园的黄昏

晚自习小郭上阅览室看杂志

也看看人

看杂志时很开心

看人时很伤心

很伤心是因为找不见那条红纱巾

夜深了的时候

小郭脱去一身方块字

复习了一遍那个小女孩

将两粒安眠片吞在口里

又吐掉

然后

躺在《庄子》上

逍遥而去

某个元宵的后半夜我从梦中惊醒

某个元宵的后半夜我从梦中惊醒

有一种光从窗户里进来

我才知道我这是和衣而卧

睡觉前连窗帘也忘了拉上

烦人的鞭炮声已成昨夜黄花

有一家两家的门前灯笼还在亮着

尽管是电灯笼但还是提醒人一些心情

入睡前我的心情好像很不好

是单身汉在节日常有的那种

按理说我应该去看夜市

或者去跳舞

但是不知怎么我竟窝在床上睡着了

大约在九点不到的时候

那时候的街道一定无比抒情

公园里的石椅上大概已坐满了人

舞曲刚刚弥漫了这个城市
甜甜的元宵在蠕动
我怎么在这个时候就睡着了呢

既然是后半夜
拉上窗帘似乎没有必要
重新睡去却又没有力量
有点冷
尽管从小就学会了自己给自己拽被子
但还是有点冷
突然想起一个江南女子
据说她只用一个拽被头的动作
就打动过所有的中国男人

如果这个时候有人打个电话来
肯定是世界起初的声音
但是没有
有几个好朋友自从成家后都从地球上消失了
妻子说不定爱我是真心的
但是终究抵挡不住如潮的瞌睡
还有人说我和妻的冷战已经持续一个世纪了
我是小人物

我知道我没有面对记者说点什么的必要
但是仅有的一个情人去年秋天名花易主却是事实
我的娘肯定记着我但是老家没有电话
炕墙上那盏荞面灯盏里虽然一再添了油
却也照不到异乡来

想拉风琴却怕吵醒邻居
而口琴已被儿子做了玩具
还有那把笛子
记得儿子问我笛子为什么响
我说因为它是空心的
儿子说那你也是空心的吗
我说要是空心的就好了
儿子说空心有什么好啊
想唱歌却发现所有的歌都记不起歌词
想不到一个人被歌声遗忘竟是这么快的事情
拿起书才记起眼睛患病已经两个年头了
名医王明润开的清明眼药水乳瓶一样躺在头顶的茶几上
打开收音机但凡频道都拒绝表达
就连一支哀乐也没有

某一个元宵后半夜的郭文斌就看见自己

一点点一点点变成一堆红色的骨头

继而为水

继而为火

继而为虹

虹在报销差旅费

我说虹你怎么骗人，你这不是白白让人耗命伤财吗

虹没听见我的话，虹好像给谁说他丢了一样东西

一个长官问什么东西

虹说一个叫水的女孩

长官就啪的给虹一个耳光

我就听见某个地方有个小孩哇的叫了一声

或者有个青春女子做了一个开天辟地的梦

或者什么也没有

但虹在飞翔却是事实

飞翔的虹看见太空中除了那个女孩

还有无比辛苦无比美丽的庄稼

以及同庄稼一样辛苦一样美丽的生存

以及同生存一样辛苦一样美丽的神

还有一篇《为人民服务》

棉被一样苦在小小的地球上

才让这个小东西不至于冻着烫着

虹照旧闭上眼睛

虹闭上眼睛就看见满山遍野的诗

已经黄透了的满山遍野的诗

诗说大哥你就带我私奔吧

虹却没有听见

虹想我该去什么地方买一把镰刀呢

虹在买镰刀的路上后悔了

反正诗满山遍野地长着

割不割又有什么关系呢

虹倒是想起几个女人

几个好女人

很不容易的女人

船一样的女人

路一样的女人

其中有他的娘

虹有点伤感

他抹了一下眼泪

女人们就感冒了

一个喷嚏打来，我才发现自己的确是感冒了

在某个元宵的后半夜

或者以前

非梦经历

通天的路晦暗不明
好像时间就要到了
大家都在准备行李
可是我的铅笔还没有削尖
走之前我得填一张表
那是我的差事
想上厕所
蓦然间发现毕业在即

空气里散发着一种紧张的气息
有一句话我还没有向那个女孩说
为时已晚
黄黄的院子
白白的天
刹那间
曾经的班级已经散尽

视线里没有一个认识的同学
就这样散了
学校里再也没有认识的人
有一个篮球滚过来
是新生的
我得去宿舍整理东西
哪里是我的宿舍

有一个房子四面摆着书柜
其中的小伙子花白了头
我好像和他认识
我说好好考吧

他们一个个都去了哪里
你在忙什么
连个地址都没有要
就这样散了

跟着谁的队伍在走
和谁说话
那张表尚未填好
回头

却忘记了初衷

我好像再也没有回去
哥说车子他骑去了
我沿着一条大街游荡
老街苍黄
我好像有点伤心
不知为什么
那个队列正在前进
我的表还没有填好

那个队列中好像有我认识的女孩子
似乎这次一开过去就再也见不着
好在我跟着
可是督差追了上来

记忆中我好像再也没有填过什么表
然而那个队伍已经不在
好在后来我总算跟上了一个队伍
虽然都是些初中的同学
一个馍袋从腰间掉到地上
一个从地上抓起一块胡墼

松开手却是一只松鼠

走着
从一片荒地到一片庄稼地
麦子都长野了
在风中飘啊飘
我在一个避风处撒尿
差点尿到庄稼人的裤子上
等我完事
队伍已经远去
沟底的小孩问我渴吗
我好像有点渴
可是很快我就忘了

我在想怎么能够回家
在剩下我一个人的时候
我的身上大概还有不少钱
这地方没准有强盗
从什么地方来着
一个叫固原的小城
好像又不是
就在这时我看见了一个女孩

她说我们等你都半天了
记忆中当初没有她
其他人在玩一只千年老笙
另一个初中同学竟然能吹出好听的曲子
可惜我没有将它记下来

那是万劫之初的一个黎明
或者是昨天凌晨
我在睡觉

徐州日记

一种生长的火焰，池杉

在潘潮的雾中，想象汉唐

不知沛公项公，是哪一株

当年的塌陷地，被改造成湿地

可怕的煤城，就这样

以湿地的名义新生

没有行人，导游说，暂时谢绝游客，培育气候

培育气候，多么让人心动的词组

这气，这候，除过自然

还有历史，还有文化

导游说，负离子，从上风口南下

为徐州美容，医肺

而我在想，作为帝王之乡的彭城

如何保持它的英雄之气

下午，在茶室，品尝黑枸杞茶

看包装，来自宁夏

就独自到农舍，听鸡鸣狗吠

当年，我一定会被潘安小镇的美拖住脚步

被导游催促，但今天的我，渴望找一块普通的农家

放松目光，还有心情

精心打造的潘安小镇，过于完美

如同一台没有低潮的大戏

当手机代替了相机，就像传媒代替了生活

彻底些讲，是工具代替了人

这时，在农舍边看到一只鸡、一条狗

你会有拥抱的冲动

还有袅袅升起的炊烟，比我的诗要生动许多倍

门口，一位大伯，向我做着手势

听不懂他的话，却能看懂他的目光

像彭祖一样的目光

让我心里一震

相比于景区的精致

我更愿意面对白杨树上的喜鹊窝出神

还有一位伯母，手执扫帚，清扫落叶

这情景，让我想到楚风汉韵

打断我思绪的，是池塘边杨树枝头的麻雀

它们的轻啼，成了徐州的另一种绿意
静静听来，徐州的鸟鸣
和银川差别不大
它们的世界里，估计没有
外语系

在鹅镇
看到老乡钓上一尾鱼
近前，居然一大袋，问卖吗，说卖
问多少钱，说着，掏出钱夹
准备给他二百
不想这位老乡却说，十元全给你
由此可见，当代的徐州
虽然进入新时代，但
古风犹在
投鱼入河，有几尾当下游走
有一尾，游走，又回来
抬头看了我一眼，像是在说
我已在此，等你千年

致 敬

每次吃饭

我都有一种深深的负疚感

因为白衣战士们

在吃方便面

每晚睡觉

我都有一种深深的负疚感

因为白衣战士们

在睡地板

每天和妻儿在一起

我都有一种负疚感

因为白衣战士们

只能和家人视频聊天

每次洗漱

一张张被口罩压出血印的脸

都会浮现在我的眼前

每次穿衣

一身身铠甲一样的防护衣

就会浮现在我的眼前

每次上卫生间

一幕幕借着尿不湿奋战的情景

就会浮现在我的眼前

一张张照片

一帧帧视频

不是诗，胜似诗

不是画，胜似画

看不到你们的面庞

却能看见你们的心灵

叫不上你们的名字

却觉得你们就是亲人

你们医治的不仅仅是患者的身躯

还有大地的伤痛人类的良心

在你们的感动下

多少冷漠的心开始变暖

在你们的感动下

多少沉睡的心开始复苏

包括那些贪婪者，灭绝人性者

也许都会因为你们，幡然醒悟

重新过起尊重生命珍惜物事的生活

正气存内，邪不可干

精诚所至，天地可感

谁说新冠病毒无药可治

把人民生命放在第一位的仁慈

守望相助疾病相扶持的精神

一方有难八方支援的气象

就是天地大药

有此大药

天清地宁，指日可待

钟南山

当然是血肉之躯

但我却从您的目光里

看到了钢和铁

让他再睡一会儿

让他再睡一会儿

这个请求让中国疼痛

一位八十四岁高龄的老人

带头，和新型冠状病毒较量

钟南山，中国的英雄山

我不祈愿您福如东海
只祈愿您寿比南山
从非典，到新冠
十七个年头
您脸上的皱纹多了
但目光未老
因为您的心常青

一位出租车司机
去做志愿者
打的，才发现出租车停运
公交车也停运
只好在路边等待
不想就在我万分着急时
一辆出租车停了下来
上车，我说，不是都停了吗，你怎么还出车
他说，不是要求别走动吗，你怎么还出行

一位营业员
跑遍几个商场，都买不到菜了
不想小区门口的商店还有
就扫荡般地装货

心想，她要一千元，也付
谁想对方才收一百元
有些吃惊地看了一眼营业员
说，怎么没涨价
她说，靠这几天，致不了富

一位清洁工

最近，犯了张望症
总是喜欢站在阳台上，向楼下看
这个平时无比热闹的城市
有一种让人恍惚的冷寂
这时，一位清洁工进入我的视线
一把扫帚，从路东扫过来，一直扫到西头
然后，又从西头，扫到东头
接着，坐在条凳上，打开包，拿出水杯，喝水
太阳落在他的身上，有一种难言的安详
我的心里，就渐渐被感动充满
搬到这个小区已经六年了
也许，他天天都在这里
我怎么就没注意呢

今天，我的眼里含满泪水

这一刻，援汉的医疗队正在撤离

患者用鲜花向他们致敬

乡亲用感谢向他们致敬

警官用军礼向他们致敬

空姐用鞠躬向他们致敬

大地用樱花向他们致敬

岁月用春天向他们致敬

平时再普通不过的行李箱

这一刻看上去是多么高贵

平时再普通不过的工作服

这一刻看上去是多么优雅

戴着口罩的拥抱

隔着窗户的叮咛

让曙光中的武汉

泪流满面

四十三天

他们从死神手里夺回多少条生命

四十三天

他们给多少人以生的信心

四十三天
他们让世人明白什么叫大医精诚
四十三天
他们让古老的岐黄之学焕发青春

这一刻，援汉的医疗队正在撤离
患者用鲜花向他们致敬
乡亲用感谢向他们致敬
警官用军礼向他们致敬
空姐用鞠躬向他们致敬
大地用樱花向他们致敬
岁月用春天向他们致敬
而我，只有用这首蹩脚的诗
向他们致敬

后 记

去年，应山东教育出版社邀请，到社里讲课，顺便参观了展陈室，很为他们的文化情怀感动，书架上品质上乘的《张炜文存》《秋雨合集》，还有许多工程性出版成果，让我眼前一亮，无论是设计，还是装帧，还是用纸，在国内都堪称一流，心想，如果自己的作品能够忝列其中，该是多么幸运的一件事情。没想到，半年之后，我的精选集出版事宜就摆上他们的议事日程。

接到社里的美意之后，心想，如何让这套精选集在中华书局版的基础上更进一步。在电脑上翻检，没有可补入的长篇，短篇也不多，诗就更少，倒是有不少对话和述评，特别是对话，一读，居然把自己给吸引住了。加之这些年研读经典，发现中国文化史，一定意义上，就是一部对话史，遂萌生了编一本对话集的想法，编定之后，很是满意，相信读者一定会喜欢。

第二本是《祝福》，主要是近些年我对央视大型纪录片《记住乡愁》的亲历性记录，还有一部分是重要时空节点的回应文章。

加上在中华书局出版的精选集基础上修订的书稿，一共八卷。

在把山东教育出版社设计的精选集封面发给同事闻玉霞看时，她说，如果再有一本《郭文斌研究》就好了。和单行本不同，精选集的发行，以研究和馆藏为主要方向。而为研究者提供方便，应该是其重要功能之一，如果能把评论家的声音汇集成书，配套发行，也是功德一桩。还有，不同于其他作家，郭文斌同志本身就是在争鸣声中走过来的，不少评论文章看起来，比作品本身都吸引人，有这么一本书，也会促进精选集的发行。

这真是一个好建议，可是，由谁来主编呢。我说。

她说，还是请李建军先生。她是说，2008年，李建军先生为我主编了《郭文斌论》。

我说，这次再也不能劳烦李老师了，就你来吧。

她大概没有想到，担子居然落在她的肩上。为了减轻她的劳动量，我请这些年一直研究我的作品的江西师范大学王磊光博士协助她。

经过他们二人的努力，一部五十万字左右的书稿出现在我面前，让我好生感动。原来，有这么多的师友研究过我的作品，我居然都不知道。原来，有这么多的刊物在默默推举我，我居然都不知道。急切地走进这些文字，就像走进另一个世界，让人感叹"知"和"遇"的不可思议，茫茫人海，为什么就偏偏是他们，对你的文字发生兴趣。

高山流水，不过如此。

本来还有几部拟收入的书稿，但最后还是决定放弃了。我对出书比较苛刻，如果文字的精确度、节奏感、旋律感没有达到要求，就不愿意出版。还有，这次编选，和五年前给中华书局编选七卷本相比，精力明显不同，最后决定量力而行。加之，不少读者等着用书，让我无法慢条斯理。

读者诸君也许不会想到，和山东教育出版社的美丽缘分，缔结于二十多年前的一次演讲。那时，我的第一本书《空信封》上市，我带着它到宁夏彭阳县第二中学演讲，会场里，有一位叫张虎的同学，大学毕业后，居然到山东教育出版社工作。近年，不知他怎么找到我的电话，不舍不弃地联系。感动于他的诚意，我们约定在2019年西安书市见面。当他和副总编辑范增民先生出现在我面前时，一种没有来由的亲切感扑面而来。接下来，就有了后半年到社里讲课，就有了和总编辑孟旭虹女士的畅叙，就有了许多合作构想。

想想看，一套文集的出版缘分，居然在二十多年前就开始了，这是多么让人感动的一件事情。在社里讲课时，当张虎先生拿出那本黑皮绿叶的《空信封》时，一种来自岁月深处的感慨让我有种把什么交给他的冲动。不久，九卷拙著，一套光盘，就交给他了。接下来，我们就开始了热线期。

先是设计，我没想到，设计师王承利，他对文字的理解，对美的理解，可以知音相称，还有这个团队的效率，也是我合作过的出版社中最优秀的。在此，向所有为这套文集面世付出心血的朋友们，致以崇高的敬意。

2020 年 7 月 19 日